Muggie Maggie

Beverly Clearly

Muggie Maggie

NOGUER Y CARALT
EDITORES

Título original
Muggie Maggie

Santa Amelia 22, Barcelona.

ISBN: 84-279-3463-7

Ilustraciones: Kay Life
Traducción: Ana Cristina Wering Millet

Primera edición: mayo 1996

Impreso en España - Printed in Spain
Limpergraf, S.L., Ripollet
Depósito legal: B-18.767-96

Dedicado a una niña de tercer curso
que se preguntaba por qué
nadie escribió nunca un libro para ayudar a los
niños de tercero a aprender la letra cursiva.

Capítulo 1

El primer día del tercer curso ya había llegado a su fin. Maggie Schultz se apeó de un salto del autobús del colegio cuando éste se detuvo frente a su casa.

—Adiós, Jo Ann —le dijo a la niña que era su mejor amiga casi siempre—. Hasta mañana.

Maggie estaba muy contenta de perder de

vista a los muchachos de sexto que la llamaban «piojosa» y a los de cuarto que no hacían más que decir lo horrible que era el tercer año, lo difícil que era aprender a escribir en cursiva y lo mala que era la señorita Leeper.

El perro de Maggie, Kisser, la estaba esperando. Cuando Maggie se arrodilló para abrazarlo éste le lamió la cara. Era un cachorro lleno de vitalidad que los Schultz habían elegido entre todos los de la página «Escoja un animal de compañía» del anuncio que la Sociedad Protectora de Animales insertaba en el periódico. La descripción al pie de la foto decía: «Un cariñoso "cockapoo"[1] busca una niña a quien querer». El retrato era exacto.

—Vamos, Kisser —dijo Maggie entrando en casa precipitadamente. Sus rubios cabellos ondeaban al viento y el perro brincaba junto a ella.

1. Un cruce entre cocker y caniche.

Cuando Maggie y Kisser irrumpieron en la cocina su madre dijo:

—Hola, carita de ángel. ¿Cómo te han ido las cosas hoy?

Al decir esto, la señora Schultz retenía a Kisser con un pie alejándolo de la nevera abierta, al tiempo que guardaba en ella unos envases de leche y unas verduras. La señora Schultz mantenía muy bien el equilibrio sobre un solo pie porque durante cinco mañanas a la semana daba clases de gimnasia a mujeres con problemas de obesidad.

—La señorita Leeper no está mal del todo —empezó diciendo Maggie—. Aunque no me ha nombrado monitora y, además, ha colocado a Jo Ann en otro pupitre.

—¡Qué lástima! —exclamó la señora Schultz.

Maggie continuó:

—Courtney se sienta a mi derecha y Kelly a mi izquierda y ese Kirby Jones, que está sentado frente a mí, se ha pasado todo el rato empujando la mesa contra mi estómago.

—¿Y tú qué hiciste? —preguntó la señora Schultz mientras sacaba los huevos del envoltorio de cartón y los colocaba en el correspondiente compartimiento de la nevera.

—La empujé otra vez contra él.

Maggie recapacitó un momento antes de añadir:

—La señorita Leeper dice que en este tercer curso vamos a ser muy felices.

—¡Qué bien! —sonrió la señora Schultz al tiempo que cerraba la nevera.

Pero Maggie no se fiaba de una profesora que preveía tanta felicidad. ¿Cómo podía saberlo? A pesar de todo, Maggie deseaba que la maestra estuviera contenta.

—Kisser necesita hacer un poco de ejercicio —comentó la señora Schultz—. ¿Por qué no lo sacas afuera y le haces correr un poco?

La madre de Maggie opinaba que todos,

perros inclusive, debían hacer ejercicio. A Maggie le gustaba perseguir a Kisser por el jardín, escondiendo, regateando y lanzándole una sucia pelota de tenis, llena de babas, hasta que Kisser caía rendido y jadeante y Maggie se quedaba sin aliento de tanto correr y reír.

Después de refrescarse, y ahora de mejor humor, Maggie se disponía a cambiar de canal de televisión, con el control remoto, en busca de anuncios divertidos, cuando llegó su padre del trabajo.

—¡Papá, papá! —gritó, al mismo tiempo que corría a recibirle.

Él la cogió en brazos, y besándola le preguntó:

—¿Cómo está mi Ricitos de Oro?

Dejándola en el suelo, el señor Schultz se acercó a dar un beso a su esposa.

—¿Estás cansado? —le preguntó la señora Schultz.

—El tránsito está cada día peor —respondió él.

—¿Hoy te ha tocado preparar el café? —inquirió Maggie.

—Así es —gruñó el señor Schultz simulando mal humor.

Maggie no sabía lo que realmente hacía su padre en el despacho, aparte de conversar con la gente que iba a visitarle. Sabía que preparaba el café un día sí y otro no, porque la señora Madden, su secretaria, decía que ella no trabajaba en una oficina para preparar café. Él tenía que turnarse con ella. Pero la señora Madden era una secretaria excelente, y redactaba y escribía tan bien a máquina, que el señor Schultz soportaba pacientemente la historia del café. A Maggie aquello le hacía tanta gracia que siempre le preguntaba por el café.

—¿Me ha mandado algún regalo la señora Madden? —preguntó Maggie.

La secretaria de su padre le enviaba a menudo un regalito: una pequeña botella de champú de un hotel, una muestra de perfume y, hasta una vez, una goma de borrar con forma de pato. Luego, Maggie le escribía una nota de agradecimiento en el ordenador de casa, y se sentía mayor.

—Hoy no —respondió el señor Schultz alborotando el cabello de Maggie. Después fue a ponerse el chandal para ir a hacer «jogging».

Cuando la cena estuvo servida y la familia feliz, hambrienta y relajada tras el ejercicio y sentada alrededor de la mesa, Maggie eligió el momento adecuado para dar la gran noticia.

—Esta semana empezaremos a aprender a escribir en cursiva —dijo con un profundo suspiro destinado a impresionar a sus padres ya que la noticia implicaba un arduo trabajo para ella.

Pero ellos se rieron. Maggie se molestó. Aprender la letra cursiva era algo *muy serio.* Maggie echó sus cabellos hacia atrás con un movimiento de cabeza. Era el gesto perfecto para que cayeran en ondulada cascada sobre sus hombros. Tenía aquella clase de melena que hacía decir a las mujeres: «Lo que daría yo por tener un cabello así», o: «Antes, mi cabello era de este mismo color».

—No pongas esa cara de funeral —dijo el padre de Maggie—. Sobrevivirás.

Y eso, ¿cómo lo sabía? Maggie, todavía herida porque se habían reído de ella, dijo ceñuda:

—Escribir en cursiva es una estupidez. Son sólo garabatos pegados unos a otros y no veo la razón por la cual deba aprender a hacerlo.

Aquel era un argumento improvisado.

—Pues, porque todo el mundo escribe en cursiva —dijo la señora Schultz—. O casi todo el mundo.

—Pero yo sé escribir con letra dc imprenta y puedo también utilizar el ordenador —dijo Maggie con ánimo de polémica.

—Estoy segura de que una vez hayas empezado, te gustará —dijo la señora Schultz con aquel acostumbrado tono suyo animoso y positivo, que a Maggie siempre la incitaba a llevarle la contraria.

«No me gustará», pensó Maggie y dijo:

—Todas esas curvas y rayotas... No pienso hacerlo.

—Ya lo creo que lo harás —dijo su padre—. Para eso vas a la escuela.

Aquello todavía contrarió más a Maggie.

—Yo no voy a escribir en cursiva y nadie me puede obligar. ¡Se acabó!

—Vaya, vaya... —dijo su madre tan risueña, que Maggie se sintió muchísimo más contrariada que antes.

La sonrisa del señor Schultz se borró y sus labios formaron una línea recta.

—Espabílate, haz lo que te mande la profesora y aprende.

Maggie se sintió aún más irritada por el tono en el que le habló su padre. Clavó el tenedor en la patata asada, de forma que el mango quedó tieso, y partió con los dedos un trozo de la empanada de carne y se lo dio a Kisser.

—*¡Maggie, por favor!* —exclamó su madre—. Tu padre está cansado y yo no he tenido un día muy agradable por así decir.

Después de sus clases matutinas de gimnasia, la señora Schultz se pasaba las tardes haciendo recados para la familia: iba a la tintorería, al banco, a la gasolinera, al mercado y a correos.

Maggie arrancó el tenedor de la patata. Kisser se relamió los bigotes y miró a Maggie con expresión de esperanza en sus ojos pardos. Meneaba la cola.

—Kisser sí que tiene suerte —dijo Maggie—. No tiene que aprender a escribir en cursiva.

Al oír su nombre el perro se levantó y puso sus patas delanteras sobre el regazo de Maggie.

—No digas tonterías, Maggie —protestó su padre—. ¡Y tú, bájate de ahí, pesado!

Maggie se indignó.

—Kisser no es un pesado. Kisser es un perro buenísimo —le replicó a su padre.

—No intentes cambiar de conversación —dijo el señor Schultz, irritado al reñir a Maggie mientras sonreía a su esposa que en aquel momento le servía una taza de café.

—Los libros no están escritos en letra cursiva —puntualizó Maggie—. Yo puedo leer libros de mayores, cosa que no todo el mundo en mi clase es capaz de hacer.

El señor Schultz tomó un sorbo de café.

—Eso es cierto —admitió—. Pero muchas cosas se escriben en cursiva. Por ejemplo:

memorándums, cartas, listas de compras para la casa, cheques y muchas cosas más.

—Las cartas las puedo escribir en letra de imprenta y esas otras cosas yo no las escribo —declaró Maggie—. Así pues, *no pienso aprender a escribir en cursiva.*

Y, dicho esto, echó su cabello hacia atrás y pidió permiso para levantarse de la mesa.

Kisser presintió también que podía marcharse y, siguiendo a Maggie al trote, de un salto se subió a su cama. Cuando Maggie lo abrazaba oyó a su madre decir:

—No sé lo que le pasa a Maggie. Normalmente se comporta muy bien, pero de repente...

—Le gusta llevar la contraria —concluyó su padre.

Capítulo 2

Al día siguiente, después de que los monitores de la clase de tercero dirigieran el acto del saludo a la bandera, cambiaran la fecha en el calendario, dieran de comer al hámster y finalizaran todas las tareas que los monitores de tercero deben cumplir por la mañana, la señorita Leeper se situó frente a los alumnos y dijo:

—Hoy va a ser un día muy feliz.

Los niños de tercero la miraron llenos de esperanza.

—Hoy vamos a dar un gran paso para ser mayores —dijo—. Vamos a aprender a escribir en cursiva. Aprenderemos a hacer fluir las letras enlazadas.

La señorita Leeper hizo sonar la palabra fluir como un vocablo largo, muy largo, mientras hacía ondear su mano con un movimiento airoso.

«A esto lo llama interesante», pensó Maggie hundiéndose en su silla.

—¿Cuántos de vosotros habéis montado en las montañas rusas? —preguntó la señorita Leeper.

La mitad de la clase levantó la mano. La señorita Leeper escribió en la pizarra:

a c d m n

—Muchas letras se empiezan a trazar ascendiendo despacio al igual que en una montaña rusa y, después, descienden de golpe —dijo dibujando el principio de cada letra con tiza de colores.

Luego continuó para demostrar cómo las montañas rusas subían casi en vertical:

b f l t

Después de que el monitor responsable del papel distribuyera unas hojas, la clase no se dedicó a escribir letras completas sino a dibujar la trayectoria de las montañas rusas.

Maggie hizo lo que le ordenaban hasta aburrirse y luego empezó a dibujar una larga línea imitando el vaivén de las montañas rusas que subía y bajaba, giraba, se rizaba y volvía a subir. En la clase había tantos alumnos que necesitaban ayuda en su tarea, que la señorita Leeper no se fijó en lo que hacía Maggie.

Al día siguiente, después de ensayar los trazos, la clase empezó a practicar con letras enteras; unas con bucles que ascendían y otras con bucles que descendían. Aquello era difícil de ejecutar.

Los alumnos de tercero trabajaban con el ceño fruncido y, preocupados, preguntaban

continuamente a la profesora, si lo hacían bien. Luego aprendieron a enlazar las letras con líneas rectas. Maggie siguió dibujando la trayectoria de las montañas rusas hasta que la señorita Leeper se percató de ello.

—Pero Maggie —dijo—, ¿por qué no trabajas y practicas haciendo bucles y trazos?

—Estoy trabajando —respondió Maggie—. Sigo el recorrido de las montañas rusas.

La señorita Leeper miró pensativamente a Maggie, que intentaba aparentar que estaba contenta.

—Las montañas rusas no son las letras cursivas —dijo la maestra.

—Ya lo sé —accedió Maggie—, pero yo no necesito las letras cursivas. Yo utilizo el ordenador de casa.

—Maggie, creo que será mejor que esta tarde te quedes en la escuela para que podamos tener una pequeña charla —respondió la señorita Leeper.

—Tengo que coger el autobús —murmuró Maggie esbozando su sonrisa más dulce.

Aquella tarde, Maggie examinó todas las letras cursivas que pudo encontrar.

—¿Por qué las palabras de la lista de la compra tienen las letras inclinadas hacia atrás? —le preguntó a su madre—. La señorita Leeper dice que las letras deben inclinarse hacia delante como si caminaran contra el viento.

—Es que yo soy zurda y mis profesoras no me sugirieron que girase el papel —explicó la señora Schultz.

—¿Y qué significan estos pequeños círculos flotando por ahí? —preguntó Maggie.

Su madre rió.

—Cuando yo estudiaba en el instituto, las chicas a menudo dibujábamos estos circulitos sobre las «íes» en lugar de poner un punto. Creíamos que era más artístico o algo así. No lo recuerdo muy bien.

Aquella tarde, Maggie permaneció junto a su padre mientras éste escribía una carta en el ordenador. Cuando el papel salió de la impresora, cogió un bolígrafo y al final de la página escribió:

Sydney Schultz

—¿Qué quiere decir? —preguntó Maggie.

—Así es como firmo —respondió su padre—, Sydney Schultz.

—No has cerrado los bucles —señaló Maggie—. Se supone que debes cerrar los bucles de las letras que cuelgan, excepto por la «p».

A pesar de todo, Maggie había aprendido un par de cosas.

—¡Oh! —exclamó el señor Schultz uniendo los lazos sueltos apresuradamente.

Capítulo 3

A Maggie empezaron a gustarle las clases de caligrafía. Hacía experimentos con las letras, inclinándolas hacia atrás y decorándolas con pequeños círculos a la manera como su madre puntuaba las «íes». También escribía «ges» de cualquier manera con colas largas y rectas, igual que las «y griegas» de su padre.

—Oye, Maggie —dijo la señorita Leeper—. Encuentro que tu letra cursiva está muy mal hecha.

—Escribo como lo hacen los mayores —explicó Maggie.

El resultado fue que la señorita Leeper solicitó la presencia de la madre de Maggie en la escuela, para hablar con ella. Aquel día, la señora Schultz tenía que repostar gasolina, ir al banco, comprar papel para el ordenador y llevar a Kisser al veterinario para que lo vacunara. Todo esto, después de haber impartido las clases de gimnasia durante la mañana. En consecuencia, cuando llegó a la escuela, todavía en chandal, no sonreía. Le entregó a Maggie la correa de Kisser para que lo vigilara mientras ella iba a hablar con la señorita Leeper.

Kisser estaba tan contento de ver un patio lleno de niños que quería saltar encima de todo el mundo. Cuando los amigos de Maggie se acercaron para preguntarle por qué la señora Schultz tenía que hablar con la maestra, Maggie tuvo que sujetar la correa de Kisser con ambas manos.

Jo Ann respondió por Maggie.

—Quizá la señorita Leeper quiere que la ayude en la clase o algo así.

—Me extraña —exclamó Kirby al dirigirse al autobús.

—¿Qué te ha dicho? —preguntó Maggie a su madre cuando ésta regresó y los demás ya habían subido al autobús—. ¿Qué te ha dicho la señorita Leeper de mí?

—¡Estáte quieto, Kisser!

La señora Schultz parecía enfadada.

—La señorita Leeper me ha dicho que no quieres hacer los ejercicios de caligrafía en cursiva, como si no estuvieras preparada para ello o como si no hubieras alcanzado la madurez suficiente para hacerlo.

Maggie se indignó.

—¡Esto no es verdad! ¡Yo tengo talento y valgo!

Hay personas que tienen talento y valen y otras, en cambio, no. Por lo menos, esto es lo que opinan los maestros. Quizá nadie había informado a la señorita Leeper de lo inteligente que era ella. La madre de Maggie condujo hacia casa sin pronunciar una palabra. Maggie abrazaba a Kisser y éste, agradecido, le daba unos lametazos en la cara. Eso consoló a Maggie. Por lo menos, había alguien que la quería.

Durante algunos días, y sólo para divertirse, Maggie dibujó en la clase de caligrafía unas letras en cursiva muy relamidas hasta que la señorita Leeper le comunicó que el señor Galloway, el director de la escuela, quería verla en su despacho. Al dirigirse temerosa hacia allí, Maggie se rezagó lo máximo posible.

—¡Hola, Maggie! —la saludó el señor Galloway—. Siéntate y tengamos una pequeña charla.

Maggie se sentó. Eso de la pequeña charla, como decían los mayores, nunca le había gustado.

El señor Galloway sonrió, se reclinó sobre el respaldo de su asiento y juntó las yemas de los dedos formando una A. Los pulgares hacían de travesaño. Sin duda alguna se trataba de una A de imprenta.

—Maggie, la señorita Leeper dice que no escribes en cursiva. ¿Puedes explicar por qué?

Maggie balanceó las piernas, se quedó mirando fijamente un retrato de George Washington que colgaba de la pared y mordisqueó un padrastro que tenía en un dedo. El señor Galloway aguardaba. Finalmente, Maggie tuvo que decir algo.

—Porque no me gusta.

—Ya veo.

El señor Galloway actuó como si Maggie acabara de decir algo que requería gran reflexión.

—¿Y por qué no quieres? —preguntó el director después de un largo silencio durante el cual Maggie estudió la forma cómo se peinaba los cabellos tapando su calvicie.

—Porque no tengo ganas —dijo Maggie—, ya que utilizo el ordenador de casa.

El señor Galloway movió la cabeza como si comprendiera.

—Eso es todo, Maggie. Gracias por haber venido.

Aquella tarde, la señorita Leeper llamó por teléfono a la madre de Maggie para informarle de que Maggie no estaba motivada para aprender a escribir en cursiva.

—Esto significa que no quieres hacerlo —le aclaró la señora Schultz.

—Eso es lo que le he dicho al director —respondió Maggie, que no comprendía el motivo de tanto alboroto.

—¡Maggie! —gritó su madre—. ¿Qué vamos a hacer contigo?

—Ya te apañaré yo, jovencita —intervino el señor Schultz—. De momento, se acabó el ordenador para ti. No se te ocurra acercarte a él.

La señora Schultz tenía algo más que añadir.

—Mañana, Maggie irá a ver al psicólogo de la escuela.

La señora Schultz parecía preocupada. El señor Schultz estaba muy serio y Maggie asustada. Lo del psicólogo le daba miedo. Kisser comprendió lo que sucedía y lamió la mano de Maggie para reconfortarla.

Pero el resultado fue que a Maggie le encantó el psicólogo porque hablaba con voz suave y pausada y le ofreció unos juguetes mientras le hacía preguntas sobre la familia, el perro, las maestras; cosas sin importancia. Le preguntó acerca de las tablas de multiplicar y, casi como por casualidad, le dijo:

—¿Qué tal se te da la escritura en cursiva?

—Bien —respondió Maggie, porque él era una persona mayor.

Dos días más tarde, la madre de Maggie comentó:

—El psicólogo de la escuela nos ha enviado una carta.

Maggie se sintió herida en sus sentimientos. El psicólogo le había parecido una buena persona pero Maggie había aprendido a sospechar de las cartas que venían de la escuela. Ésta no era la primera.

La señora Schultz continuó diciendo:

—Dice que será interesante comprobar cuánto tiempo tardas en decidirte a escribir en letra cursiva.

—¡Oh! —exclamó Maggie.

—¿Cuánto crees que llegará este momento? —preguntó la señora Schultz.

—Quizá nunca —respondió Maggie, que empezaba a lamentar haber iniciado todo aquel lío.

Capítulo 4

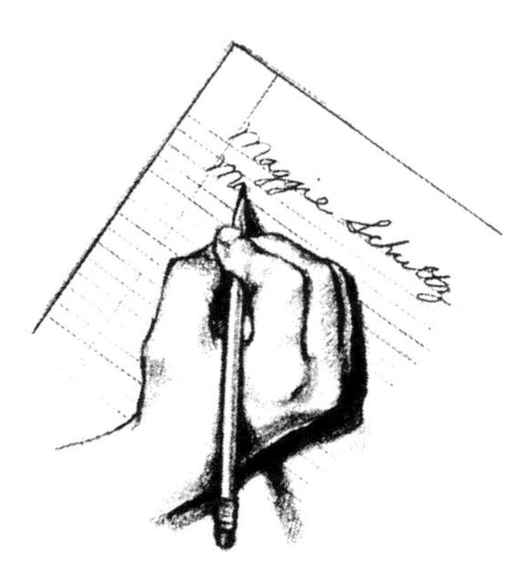

Maggie empezaba a arrepentirse de no escribir en cursiva, pero ahora todos los niños de tercero estaban interesados en su rebelión. Cada día la observaban para ver si se rendía. Sus amigos hablaban de ella durante la hora de la comida. Un día, en el pasillo del colegio oyó a un niño de cuarto que decía:

—Ahí va la niña que no quiere escribir en cursiva.

Muchos pensaban que era valiente, otros que se comportaba estúpidamente. Ahora, era obvio, Maggie no podía echarse atrás. Tenía que mantener su orgullo.

Courtney y Kelly, dos íntimos amigos que se sentaban uno frente al otro, no estaban de acuerdo con Maggie.

Courtney dijo:

—Los únicos que escriben en letra de imprenta son los de primero y segundo.

Kelly comentó:

—Creo que estás haciendo el tonto, Maggie.

Jo Ann le susurró desde la mesa de al lado:

—Si tienes dificultades, dímelo, quizá pueda ayudarte el sábado que viene.

—*No* tengo dificultades —respondió Maggie también en un susurro—. Es que no quiero hacerlo.

De pronto se inquietó. ¿Y si otras personas pensaran que la inteligente y talentosa Maggie no era capaz de escribir en cursiva aun queriendo?

La señorita Leeper distribuyó unas hojas con los nombres de los alumnos. En el ángulo superior de la hoja se veía perfectamente escrito en cursiva el nombre y apellido de cada uno de ellos.

—Hoy vamos a practicar la firma —dijo mirando a Maggie—. Aunque escribamos cartas con el ordenador, tenemos que firmarlas de puño y letra.

Maggie estudió detenidamente su nombre escrito con aquella letra tan clara. Si escribía «Maggie Schultz» y ni una letra más ¿significaría aquello rendirse? No, seguro que no, decidió, y menos si lo hacía con letra de persona mayor. Mientras Kirby, un muchacho que más o menos siempre hacía lo que le ordenaban, cogía el lápiz y escribía ejerciendo tal presión que rompió la mina y tuvo que ir a afilarla en el sacapuntas, y Courtney y Kelly trabajaban con lápices que susurraban primorosamente al deslizarse sobre sus respectivas hojas, Maggie escribió su nombre tal como su padre escribía el suyo:

Maggie Schultz

En la línea siguiente escribió con la mano izquierda, cosa harto difícil:

Maggie Schultz

Kirby trabajó tanto que necesitó una tregua. Empujó la mesa contra el estómago de Maggie.

Maggie la empujó a su vez contra él.

—¡Señorita Leeper! —gritó Courtney—. Kirby y Maggie están moviendo la mesa y estropean nuestra caligrafía.

—No paran de hacerlo un solo momento —dijo Kelly.

Aquella queja hizo que la señorita Leeper se acercara a su mesa.

—Mire, señorita Leeper —dijo Courtney señalando la hoja—. Esto ha sido cuando Kirby ha movido la mesa.

—Y esto ha sido cuando la ha empujado Maggie —exclamó Kelly.

—Estoy segura de que no volverán a hacerlo —dijo la señorita Leeper intentando aparentar que estaba contenta mientras permanecía en pie junto a Maggie.

Rápidamente Maggie protegió la hoja con el brazo doblado e inclinó la cabeza como si estuviera trabajando con ahínco.

La señorita Leeper, que a menudo decía a

los alumnos que tenía ojos en la parte posterior de la cabeza, ya había visto el trabajo de Maggie, si es que a aquel garabato se le podía llamar trabajo.

—Maggie, ¿por qué escribes con la mano izquierda si no eres zurda? —quiso saber.

—Así es como escribe mi madre —explicó Maggie.

La señorita Leeper le quitó el lápiz de la mano izquierda de Maggie y se lo puso en la derecha.

—¿Y dónde están los bucles de las «ges» de que hemos estado hablando? Tu «l» y tu «t» están inclinadas hacia atrás. No queremos que nuestros postes de teléfonos se caigan, ¿verdad que no?

—Supongo que no, señorita —respondió Maggie.

—Llévate la hoja a casa y repite la firma —ordenó la señorita Leeper—. Y debemos cerrar la «a». Tu nombre no es Muggie.

En aquel momento, Maggie supo que se le había caído el pelo.

—Muggie, Maggie —susurró Kirby tal como Maggie temía.

—¡Cállate! —dijo Maggie empujando la mesa contra el estómago de Kirby.

—¡Señorita Leeper! —lloriquearon Courtney y Kelly al unísono.

—Creí que hoy íbamos a hacer feliz a la maestra —dijo la señorita Leeper—. Seamos buenos ciudadanos.

Maggie estaba segura de que no iba a tener un recreo feliz. Y así fue. Todos le gritaron «¡Muggie Maggie!» Empezó Kirby, claro. No era un buen ciudadano.

Capítulo 5

A finales de aquella semana el señor Schultz entregó a Maggie un regalo de parte de la señora Madden: un bolígrafo que escribía en rojo y en azul.

—Es lo que siempre he deseado —exclamó Maggie, sintiendo una gran adoración por la señora Madden, la única persona mayor, se dijo, que no se metía con ella.

—¿Puedo darle las gracias con el ordenador? —preguntó Maggie poniendo a su padre a prueba.

—No. El ordenador está fuera de tu jurisdicción —dijo el señor Schultz, que estaba de un humor excelente, cosa que irritaba a Maggie—. Utiliza tu bolígrafo nuevo.

Maggie no se sorprendió. Su padre nunca hablaba por hablar. Así pues, Maggie se dirigió a su habitación y, con el morro de Kisser sobre sus pies, se puso a trabajar. Su letra de imprenta ya no era tan perfecta como antes porque ahora nunca practicaba. Escribió una letra en azul y la siguiente en rojo y así sucesivamente.

Querida señora Madden,
gracias porel bolígrafo.
Me gusta mucho.

Besos,
Maggie

Después de pensarlo un momento añadió:

Siento
Ser
Sucia

Eso es. Maggie, satisfecha con su trabajo, dobló la carta, la metió en un sobre, escribió en letras de molde Sra. Madden en la parte anterior y lo introdujo en la cartera de su padre, con el sentimiento de que había hecho lo que se esperaba de ella.

Al día siguiente por la tarde, el señor Schultz trajo a casa un sobre para Maggie, que lo abrió. La nota, como esperaba Maggie, era de la señora Madden y estaba cuidadosamente escrita a máquina a excepción de una consonante. Decía:

Querida Maggie,

Si realmente

ientes

er

ucia

¿por qué no has repetido la carta?

Besos,

Hilda Madden

Los ojos de Maggie se llenaron de lágrimas. Se sentía muy avergonzada... Ahora incluso la señora Madden, junto con todos los demás, se metía con ella.

La señora Schultz, al ver las lágrimas de Maggie, le pidió que le dejara leer la nota. Después dijo dulcemente:

—Bueno, mi carita de ángel, ¿por qué no repetiste la carta?

Maggie aspiró por la nariz.

—Creí que la señora Madden lo entendería.

El padre de Maggie también quiso leer la embarazosa nota.

—Es natural que la señora Madden no lo entendiese —dijo—. La señora Madden es una excelente secretaria que siempre hace su trabajo pulcro y ordenado.

—Pero yo no quiero ser secretaria —contestó Maggie, pensando en algunas niñas de tercero que eran pulcras y ordenadas—. Yo seré astronauta o controladora de parquímetro.

—Así me gusta, Ricitos de Oro —dijo su padre alborotándole los cabellos.

Capítulo 6

Una mañana, Maggie observó que la señorita Leeper hablaba en voz baja con otras profesoras en el pasillo. Cuando pasó junto a ellas todas la miraron, y Maggie se encogió un poco para intentar pasar desapercibida y evitar que hablaran de ella.

Al comenzar la clase, la señorita Leeper dijo:

—Niños y niñas. Hoy haremos lo posible por tener una maestra feliz.

Repetía tan a menudo esta frase que ya nadie le prestaba atención. Después les indicó unas palabras que había escrito en la pizarra.

ues de Septiembre
dia monito

Aquellas palabras provocaron la risa de toda la clase, pero Maggie no encontró nada divertido en ellas.

La señorita Leeper dijo:

—Maggie, ¿nos podrías decir qué sucede con estas palabras?

En aquel momento Maggie descubrió que no sabía leer las letras en cursiva. Negó con la

Señorita Leeper
nes de Septiembre
día monito

cabeza mientras los demás, ansiosos por señalar los errores, levantaban la mano.

Luego, más tarde, la señorita Leeper anunció:

—Niños, vamos a necesitar un mensajero. ¿Quién quiere ser monitor-mensajero?

Aunque sabía que no saldría elegida porque era una niña que no conseguía hacer feliz a la señorita Leeper, Maggie levantó la mano. El resto de la clase también lo hizo, excepto Kirby, que nunca quería ser monitor de nada y que, en aquel momento, se encontraba debajo de la mesa.

—Maggie, si quieres puedes ser nuestra monitora-mensajera —dijo la señorita Leeper.

—Querrá decir Muggie —susurró Kirby saliendo de debajo de la mesa, en donde había estado investigando la manera cómo se sujetaban las patas a la mesa.

—¿Yo? —preguntó Maggie.

—Sí, tú —respondió la señorita Leeper

con una amable sonrisa—. Y aquí tienes una nota para entregar al señor Galloway —añadió dándole un sobre—. Espera la respuesta, por favor.

Maggie no perdió ni un minuto y salió disparada al pasillo donde nadie la controlaba. El sobre no estaba cerrado. «Mirar es hacer trampa», se dijo Maggie. Imperturbable y muy formal continuó hasta la mitad del camino del despacho del director. Entonces se detuvo y pensó: «Si echo una ojeada, no pasará nada, sobre todo si lo hago deprisa». Si el sobre no estaba cerrado significaba que la nota se podía leer.

Tendría que haberlo imaginado; era algo escrito en cursiva. Maggie no pudo descifrar la nota, que decía:

¿Cuándo se decidirá esta niña de una vez a escribir en cursiva?

Maggie reconoció el signo de interrogación y decidió que, seguramente, la señorita Leeper preguntaba si le podían enviar más hojas de trabajo o algo por el estilo.

—Hola, Maggie —la saludó el director cuando la niña le entregó la nota.

Mientras aguardaba, el señor Galloway escribió una breve respuesta que introdujo en el mismo sobre. Tachó su propio nombre y en su lugar escribió el de la señorita Leeper. La escuela no se podía permitir el despilfarro de sobres.

—Llévale esto a tu maestra —dijo el director con una amplia sonrisa—. Y muchas gracias, Maggie.

«No miraré, no miraré», decidió Maggie.

Para qué iba a mirar si la nota estaría escrita en cursiva. Maggie anduvo más y más despacio. ¿Qué había de malo en mirar algo que no podía leer? Nada, pensó, sacando la nota del sobre.

La letra del señor Galloway era menos pulcra que la de la señorita Leeper, cosa que a Maggie no le pareció bien. La letra de un director tenía que ser mejor que la de una maestra.

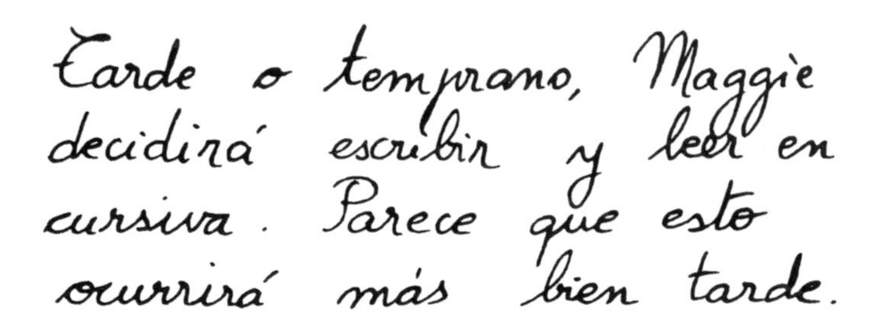

Maggie observó detenidamente los bucles y las curvas hasta que de pronto una palabra se destacó entre las demás: Maggie.

Se quedó perpleja. ¿Qué era lo que el señor Galloway decía de ella? Maggie sintió que sus mejillas se ruborizaban. Rápidamente volvió a meter la nota en el sobre y se dirigió corriendo a su clase como si llevara algo ardiendo.

La señorita Leeper le dirigió una mirada sagaz y, antes de leer la respuesta del director, le dijo:

—Gracias, Maggie.

Después, sonrió, volviendo a ser una vez más una maestra feliz.

De pronto, Maggie descubrió que la letra cursiva era interesante. ¿Cómo iba a leer cartas si no sabía leer cursiva? No podría leerlas. Maggie, la que tenía tanto talento, se sintió derrotada.

Capítulo 7

Durante los días siguientes, Maggie fue una monitora-mensajera muy ocupada, porque la señorita Leeper la enviaba diligentemente de clase en clase. Incluso la envió a la biblioteca. De tanto ir para arriba y para abajo, el sobre estaba cada vez más gastado. En la mayoría de los mensajes veía su nombre, en otros no. Maggie aprovechaba cualquier instante en el pasillo para intentar descifrar lo que decían, pero todo lo que pudo descubrir fue que algunos maestros no tenían cuidado en unir las letras sin levantar el lápiz del papel.

—¿Por qué llevas tantos mensajes? —preguntó Kirby.

—Porque no sabe leer cursiva —intervino Courtney.

—Y la señorita Leeper sabe que no podrá fisgonear —añadió Kelly.

—A la señorita Leeper le gusta que los lleve yo —dijo Maggie—. Eso la hace feliz.

—Me extraña —comentó Kirby.

De camino a la clase de primero, Maggie descubrió que todas las notas de la señorita

abc
Food

Leeper parecían idénticas, cosa que, por un lado era divertido y peculiar, pero, en realidad, no tenía ninguna gracia. Sintiéndose importante frente a los pequeños de primero, Maggie pensó en aquello mientras oía el ruido que, al jugar, hacían los niños con el velcro de sus zapatillas deportivas: rip, rip, rip. La respuesta de la maestra de primero a la señorita Leeper no contenía su nombre, por lo que Maggie perdió todo interés. La nota decía:

Continúa así. Acabarás ganándole la partida.

En la clase de sexto, Maggie sintió como si se encogiera porque mientras el maestro, un hombre alto con una barba de aspecto feroz, leía la nota, los alumnos la miraban fijamente.

—Ahí está la piojosa —oyó murmurar a un muchacho.

Maggie echó su cabellera hacia atrás. La clase rió con disimulo.

Maggie se preguntó si los muchachos denominaban la barba del maestro «el motel de los piojos».

El hombre dirigió una mirada a Maggie, sonrió burlonamente y escribió una nota en la parte posterior de la hoja de un examen de ortografía. Después tachó su nombre del viejo sobre y en uno de los pocos espacios vacíos, lo reemplazó por el de la señorita Leeper, entregándoselo acto seguido a Maggie, quien se alegró de poder escapar de nuevo al pasillo.

Cuando Maggie miró de soslayo el interior del sobre encontró su nombre escrito como en otras notas, pero esta vez repetido. La nota decía:

Una vez, tuve una alumna
inteligente como Maggie,
que creía no ser capaz
de leer cursiva. En verdad,
si lo intentaba, podía hacerlo, pero no lo hacía.
Maggie me recuerda a
aquella niña.

Maggie, desesperada por no poder leerlo, descubrió que aquel profesor descuidaba la unión de las letras. Si tuviera tiempo quizá fuera capaz de descifrarlas, pero sabía que en la clase esperaban su regreso. Si tenían que enviar a alguien a buscarla, la señorita Leeper se enojaría mucho.

El viernes por la tarde, Jo Ann telefoneó a Maggie para invitarla a dormir en su casa. Maggie dijo que no podía. Jo Ann quiso saber la razón. Maggie respondió que tenía que ayudar a su padre.

—Yo creía que tu padre hacía un tipo de trabajo de oficina —dijo Jo Ann.

—Así es —respondió Maggie pensando con rapidez—, pero yo sé hacer funcionar nuestro ordenador.

No había dicho una mentira, no exactamente, pero, a pesar de todo, se sentía culpable.

Durante el fin de semana, Maggie estudió todo lo escrito en letra cursiva que pudo encontrar: la lista de la compra de su madre con letra inclinada hacia atrás, las notas escritas con la letra impecable de la señora Madden mezcladas entre los papeles que su padre se traía de la oficina, cualquier cosa. No intentó descifrar la letra de su padre. Sabía que era inútil.

Maggie pasó la mayor parte del tiempo encerrada en su habitación. Con el morro de Kisser reposando sobre sus pies y algunos viejos papeles de antiguos trabajos frente a ella, practicando afanosamente la letra cursiva incluyendo las difíciles mayúsculas *L W* y *F*.

—¿Qué estás haciendo, Maggie? —preguntó su madre desde el otro lado de la puerta.

—Nada —respondió Maggie, consciente de que su madre, que siempre había opinado que los niños tenían derecho a su intimidad, no abriría la puerta. Reconocer ante sus padres que había cambiado de idea la avergonzaba; sería como admitir que se había equivocado.

Maggie trabajó duro, y cuando llegó el domingo por la tarde, estuvo de acuerdo con lo que la señorita Leeper había dicho durante todo aquel tiempo: muchas cartas escritas en cursiva tienen las letras formadas como si fueran letras de imprenta. Supo que si la cursiva estaba bien hecha la podía leer. Practicó

su firma con las letras inclinadas como por el viento.

Maggie Schultz Maggie Schultz

Cuando hubo terminado, el rostro de Maggie se había ruborizado, su cabellos estaban más revueltos que de costumbre pero podía escribir en cursiva. Quizá no perfectamente, pero cualquiera que hubiese superado el segundo curso podía leerlo. Se acercó a su padre, que estaba trabajando en el ordenador.

—Papá, escúchame —dijo con tono serio.

El señor Schultz levantó la vista.

—De acuerdo, Maggie ¿qué sucede?

—Cuando se escribe, cuenta mucho la pulcritud —le informó Maggie.

—Supongo que sí —accedió su padre.

—Entonces tendrías que aprender a cerrar los bucles, a poner el número correcto de palitos en las «us» y a escribir con esmero —continuó Maggie.

—Qué coincidencia más graciosa. La señora Madden me dice lo mismo —comentó el señor Schultz—. Lo intentaré. Te lo prometo.

Maggie no quedó muy convencida. Y acto seguido, se fue al encuentro de su madre y le advirtió:

—Tendrías que escribir inclinando las letras hacia el otro lado, como debe ser, y dejar de poner estos círculos tan tontos encima de las «íes».

La señora Schultz sonrió y apartó los cabellos, más alborotados que de costuinbre, del ruborizado rostro de Maggie.

—No sé, no sé, carita de ángel —dijo—. Todo el mundo dice que tengo una letra muy distinguida.

Maggie estaba cansada y enfadada.

—Bueno, sea como sea, está mal hecho —concluyó suspirando tan hondo que Kisser pareció angustiarse. Era tan difícil hacer cambiar a los mayores... Quizás era imposible.

Capítulo 8

Aquel lunes, Maggie observó las palabras que la señorita Leeper había escrito en la pizarra y descubrió que podía descifrarlas sin mucha dificultad. La señorita Leeper había escrito:

Esta semana será una semana feliz. Vamos a ir de excursión.

Maggie estaba ansiosa por llevar el siguiente mensaje y no tuvo que esperar mucho hasta que la señorita Leeper escribiera una nota para el director. En cuanto Maggie cerró la puerta de la clase tras ella, despacito, no de un portazo, sacó furtivamente la nota escrita en la parte posterior de una vieja hoja de cálculo y leyó las palabras nítidamente formadas:

Ahora, Maggie ya sabe leer en cursiva. La he visto leyendo lo que he escrito en la pizarra. Si es capaz de leer, es capaz de escribir. Simplemente, no quiere adminitirlo.

Maggie se quedó perpleja. Estaba furiosa. La señorita Leeper había supuesto que echaría a las notas una mirada a hurtadillas. Quizá lo había sospechado desde el principio y, ahora que Maggie sabía leer cursiva, en ellas la criticaba. Pero lo peor de todo era que la señorita Leeper aguardaba una respuesta.

Maggie hubiera querido destruir la nota pero si lo hacía, la señorita Leeper querría saber por qué el señor Galloway no la contestaba. Maggie volvió a introducir la nota en el desgastado sobre, se dirigió arrastrando los pies al despacho del director y se la entregó al señor Galloway con un gesto brusco. Mientras él la leía, Maggie permaneció de pie con la vista fija en el suelo.

—Hum, hum —murmuró el señor Galloway mientras Maggie oía cómo su pluma se deslizaba sobre el papel—. Aquí tienes, Maggie —le dijo al entregarle lo que quedaba del sobre—. Gracias.

—De nada —respondió Maggie saliendo del despacho lo más deprisa posible pero sin correr.

«No miraré, no miraré», se dijo Maggie.

Pero claro, finalmente lo hizo. ¿Qué niño normal de tercero no querría saber lo que el director decía de él en tiempo de crisis?

En aquella nota se leía:

¡Hurra! Por la forma en que Maggie se comporta compruebo que tienes razón. ¡Buen trabajo, Laura! Sabía que lo lograrías. ¡Enhorabuena, Maggie!

A Maggie le costó mucho descifrar la larga palabra escrita delante de su nombre y después, ¡vaya, vaya! En primer lugar, Maggie se quedó atónita al comprobar que el señor

Galloway tuteaba a la profesora. Luego, Maggie se indignó. La señorita Leeper no había hecho nada de nada. Había sido ella, Maggie, quien había hecho todo el trabajo y ahora su profesora se llevaba los honores.

A Maggie le aterraba la idea de regresar a su clase. Anduvo penosamente intentando encontrar la manera de no hacerlo. Era imposible, por mucho que se retrasara yendo antes al lavabo, tarde o temprano tendría que enfrentarse con la maestra.

Con las mejillas enrojecidas, Maggie entregó a su maestra los restos del sobre y, cuando se disponía a regresar a su asiento, la señorita Leeper la cogió de la mano, la atrajo hacia sí, le dio un caluroso abrazo y dijo:

—Creo que ya no vamos a necesitar una monitora-mensajera. Además, el sobre está inservible —y diciendo esto lo echó a la papelera junto con la nota—. Hoy es un día feliz, Maggie.

Maggie se sentía contenta y confusa al mismo tiempo. Pensaba que la señorita Leeper le iba a hacer algún comentario sobre la letra cursiva pero no fue así. Ni siquiera dijo: «Ya era hora» o «Sabía que podías hacerlo». Simplemente le brindó una sonrisa y, finalmente, Maggie pudo devolverle la sonrisa.

—¿Sabe una cosa, señorita Leeper? —musitó Maggie tímidamente—, su letra cursiva es mucho más bonita que la de los demás maestros.

La señorita Leeper se rió.

—Así es como tiene que ser. Soy yo quien la enseña.

Maggie se dirigió lentamente hacia su asiento. Ahora podía enlazar las letras y lograr que su maestra fuera feliz, pero quizá, cuando creciera y no tuviera ya que obedecer constantemente a los mayores, decidiría dejar de escribir en letra cursiva. Cuando lo quisiera podría escribir en letra de imprenta.

Pero le quedaba mucho tiempo para pensar en ello.

—Muggie Maggie —dijo Kirby—. La favorita de la maestra.

Maggie se contuvo y no empujó la mesa contra el estómago de Kirby.

En lugar de eso se sentó y escribió una nota en cursiva y acto seguido la deslizó hacia el otro extremo de la mesa. La nota decía:

Tú, deja de empujar la mesa contra mi estómago.

Cordialmente,

Maggie

ÍNDICE